这是我的书
It's MY BOOK
7级：400字

平衡木和芭蕾舞

作者：秦志宁（Zhining Chin）
插图：冰河插画（Bing He Design）

北京语言大学出版社
BEIJING LANGUAGE AND CULTURE UNIVERSITY PRESS
PHOENIX TREE
PHOENIX TREE PUBLISHING INC.

识读 懂 意思 总是 正好
掉 定 比赛 参加

句型 ……像……

字数 398字

lì nà hé ài mǎ shì jiě mèi lì nà shì jiě
莉娜和艾玛是姐妹，莉娜是姐

jie ài mǎ shì mèi mei tā men dōu hěn miáo tiao
姐，艾玛是妹妹。她们都很苗条，

tuǐ dōu cháng cháng de lì nà zài xué xí píng héng mù
腿都长长的。莉娜在学习平衡木，

ài mǎ cóng sì suì qǐ jiù kāi shǐ xué xí bā lěi wǔ le
艾玛从四岁起就开始学习芭蕾舞了。

yì tiān lì nà huí dào jiā yí gè rén zuò
一天，莉娜回到家，一个人坐
zài dì bǎn shang fā dāi mā ma kàn jiàn le wèn tā
在地板上发呆。妈妈看见了问她：
lì nà nǐ zěn me le yǒu shén me bù gāo xìng
“莉娜，你怎么了？有什么不高兴
de shì ma lì nà shuō wǒ men yào cān jiā bǐ
的事吗？”莉娜说：“我们要参加比
sài le kě shì wǒ yǒu yí gè píng héng mù dòng zuò zǒng
赛了，可是我有一个平衡木动作总
shì zuò bu hǎo zěn me bàn na
是做不好，怎么办哪？”

ài mǎ zhèng hǎo huí lai le tā tīng dào jiě jie de
艾玛正好回来了，她听到姐姐的
huà jiù wèn shén me dòng zuò nǐ zuò gěi wǒ kàn
话就问：“什么动作？你做给我看
kan lì nà shuō bié nào le nǐ bù dǒng de
看。”莉娜说：“别闹了，你不懂的！”
mā ma shuō nà bù yí dìng ài mǎ zài xué bā lěi wǔ
妈妈说：“那不一定！艾玛在学芭蕾舞，
bā lěi wǔ hé píng héng mù de dòng zuò hěn xiàng ne
芭蕾舞和平衡木的动作很像呢！”

lì nà yì biān zuò yì biān shuō nǐ kàn jiù
莉娜一边做一边说：“你看，就
shì zhè ge dòng zuò ài mǎ shuō zhè ge dòng zuò
是这个动作。”艾玛说：“这个动作
wǒ men yě xué guo nǐ kàn shì zhè yàng zuò de ma
我们也学过。你看，是这样做的吗？”
lì nà shuō shì zhēn yǒu yì si bā lěi wǔ de
莉娜说：“是！真有意思，芭蕾舞的
dòng zuò gēn píng héng mù de dòng zuò hái zhēn xiàng a
动作跟平衡木的动作还真像啊！”

mā ma shuō píng héng mù hé bā lěi wǔ dōu
妈妈说：“平衡木和芭蕾舞都
yào ràng shēn tǐ bǎo chí píng héng suǒ yǐ yǒu xiē dòng zuò
要让身体保持平衡，所以有些动作
shì yí yàng de xué huì le zhè xiē běn lǐng duì shēn
是一样的。学会了这些本领，对身
tǐ hěn yǒu hǎo chù
体很有好处。”

tīng le mā ma de huà lì nà hé ài mǎ
听了妈妈的话，莉娜和艾玛
dōu shuō kě tā men yòu shì duō me bù tóng a
都说：“可它们又是多么不同啊！
yí gè shì zài mù tou shang yí gè shì zài jiǎo jiān
一个是在木头上，一个是在脚尖
shang
上。”

mā ma shuō zhǐ yào zhǎo dào píng héng diǎn
妈妈说：“只要找到平衡点，
rén jiù kě yǐ kòng zhì zì jǐ de shēn tǐ bú huì
人就可以控制自己的身体，不会
cóng píng héng mù shang diào xia lai yòng jiǎo jiān tiào wǔ
从平衡木上掉下来，用脚尖跳舞
yě bú huì shuāi dǎo zhè jiù shì píng héng de néng lì
也不会摔倒，这就是平衡的能力。
yǒu le tā nǐ men jiù kě yǐ zuò chu hěn duō hěn
有了它，你们就可以做出很多很
měi hěn liǎo bu qǐ de dòng zuò lai le
美、很了不起的动作来了。”

1 莉娜和艾玛是姐妹，莉娜是姐姐，艾玛是妹妹。她们都很苗条，腿都长长的。莉娜在学习平衡木，艾玛从四岁起就开始学习芭蕾舞了。

2 一天，莉娜回到家，一个人坐在地板上发呆。妈妈看见了问她："莉娜，你怎么了？有什么不高兴的事吗？"莉娜说："我们要参加比赛了，可是我有一个平衡木动作总是做不好，怎么办哪？"

3 艾玛正好回来了，她听到姐姐的话就问："什么动作？你做给我看看。"莉娜说："别闹了，你不懂的！"妈妈说："那不一定！艾玛在学芭蕾舞，芭蕾舞和平衡木的动作很像呢！"

4 莉娜一边做一边说："你看，就是这个动作。"艾玛说："这个动作我们也学过。你看，是这样做的吗？"莉娜说："是！真有意思，芭蕾舞的动作跟平衡木的动作还真像啊！"

5 妈妈说："平衡木和芭蕾舞都要让身体保持平衡，所以有些动作是一样的。学会了这些本领，对身体很有好处。"

6 听了妈妈的话，莉娜和艾玛都说："可它们又是多么不同啊！一个是在木头上，一个是在脚尖上。"

7 妈妈说："只要找到平衡点，人就可以控制自己的身体，不会从平衡木上掉下来，用脚尖跳舞也不会摔倒，这就是平衡的能力。有了它，你们就可以做出很多很美、很了不起的动作来了。"

看图讲故事